alta**///***ar*

Poesía

B Bruño

Director de Ediciones y Producción
J. Ramírez del Hoyo

Jefe de Producción
J. Valdepeñas Hernández

Coordinadora de Producción
M. Morales Milla

Directora de la Colección
Trini Marull

Diseño gráfico
Tau Diseño, S. A.

La poesía no es un cuento

Gloria Fuertes

Ilustración

Nivio López

Taller de lectura

Nieves Fenoy

© Gloria Fuertes García.

© Editorial Bruño, 1989.
    Maestro Alonso, 21. 28028 Madrid.

Primera edición: agosto 1989
Segunda edición: marzo 1990
Tercera edición: febrero 1994
Cuarta edición: octubre 1997
Quinta edición: mayo 2000

ISBN: 84-216-1116-X
D. legal: M.-15.989-2000
Impresión: Gráficas Rógar, S. A.

Printed in Spain

Gloria Fuertes

◆ Nació en Madrid.

◆ A los tres años ya sabía leer.

◆ A los cuatro años ya sabía escribir. A los seis ya sabía sus labores. Era buena y delgada, alta y algo enferma.

◆ A los nueve años le pilló un carro. A los catorce le pilló la guerra. A los quince se murió su madre (se fue cuando más falta le hacía).

◆ Quiso ir a la guerra, para pararla; la detuvieron a mitad del camino.

◆ Luego le salió una oficina, donde trabajaba como si fuera tonta (pero Dios y el botones sabían que no lo era).

◆ Tuvo anginas y algunos premios.

◆ También fue profesora de Literatura en la Universidad de Bucknell-Pensilvania (EE UU).

◆ Falleció en 1998.

alta mar

para ti...

*Sí, para ti es este libro de poesía. Ya no eres
un niño pequeño y pronto serás un joven.
Lo que significa que entrarás en una edad
mágica, romántica y maravillosa.
Por eso, tú te mereces una poesía.*

*Este libro será una manera distinta
de divertirse: tendrás que usar
tu cabeza, tu corazón, tu inteligencia
y tu imaginación, para sentir
lo que yo he escrito.*

*«La poesía no es un cuento», pero
tampoco es un «rollo»; con mi poesía
intento divertiros, haceros pensar
y hasta haceros reír.
Quisiera que al terminar de leer este libro
de versos dijerais como conclusión:*

> *Son poesías de «alucine»,
> es como ir al cine.*

*Y yo os diré: Me gusta que os guste
la poesía.*

Gloria Fuertes

Juegos de niño

Los reyes

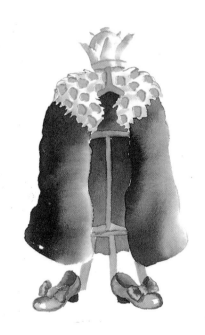

EL león es el rey de la selva.

El gol es el rey del fútbol.

El sol es el rey del día.

El mosquito es el rey de la noche.

El cocodrilo es el rey del río.

El camello es el rey del desierto.

El tiburón es el rey del mar.

El avión es el rey de las nubes.

El rayo es el rey de la tormenta.

El malo es el rey del tormento.

El astronauta es el rey del cielo.

¡El niño es el rey de la tierra!

Valentín tin, tin

(Poesía para leer entre dos)

ERA tan listo Valentín,
—tin, tin.
—Que ya sabía hasta latín,
—tin, tin.
—Iba al colegio en su patín,
—tin, tin.
—Iba a un colegio de postín,
—tin, tin.
—Valentín, Valentín,
—tin, tin,
—sólo llevaba un calcetín,
—tin, tin,
—y un cuento suyo en el maletín,
—tin, tin,
—era escritor el Valentín,
—tin, tin,
—y era poeta tan chiquitín,
—tin, tin.

—Y en su piscina tenía un delfín.
—*Fin, fin.*

13

El ciempiés ye-yé

TANTA pata y ningún brazo.
¡Qué bromazo!
Se me dobla el espinazo,
se me enredan al bailar.
¡Qué crueldad!
por delante y por detrás,
sólo patas nada más.

Grandes sumas
              me ofrecieron,
si futbolista prefiero
                  ser,
pero quiero ser cantor
y tocar el saxofón
con la pata treinta y dos
en medio de la función.

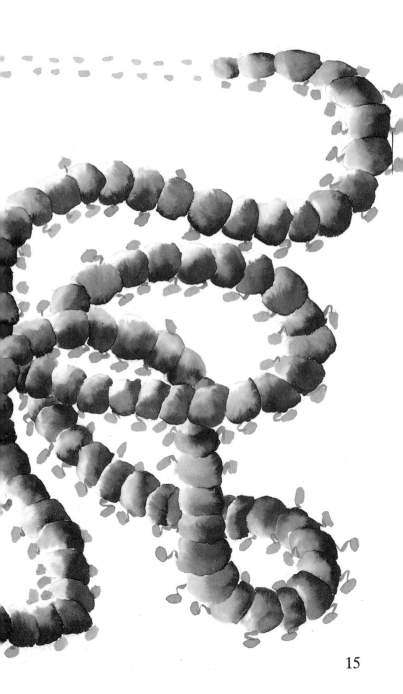

15

Los doce meses

EN *enero,*
zambomba y pandero.
En *febrero,*
(San Valentín) di te quiero.
En *marzo,*
sortija de cuarzo.
En *abril,*
tararí que te vi.
En *mayo,*
me desmayo.
En *junio,*
como una vaca rumio.
En *julio,*
veo a mi amigo Julio.
En *agosto,*
mi tío bebe mosto.
En *septiembre*
(que buenas notas siembre).
En *octubre,*
hojas secas suelo cubre.
En *noviembre*
el aire hace que tiemble.
En *diciembre,*
la nube nieva nieve.

Y durante todo el año,
que nadie nos haga daño.

17

Patos en diciembre

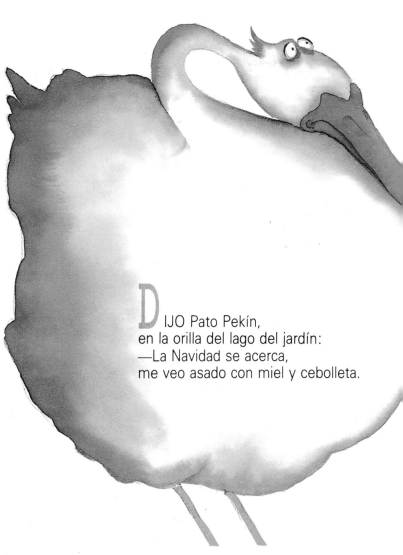

DIJO Pato Pekín,
en la orilla del lago del jardín:
—La Navidad se acerca,
me veo asado con miel y cebolleta.

Y dijo la Pata Ágata:
—Pues yo estoy mosca pato,
me ponen doble comida en el plato.

¡Qué mala pata,
ser en Navidad
pato o pata!

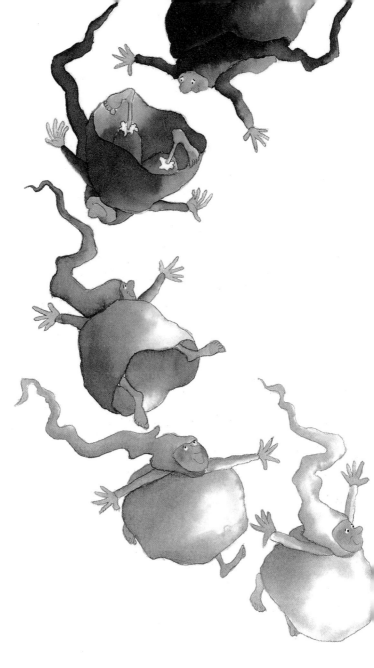

La bruja Maruja

L A bruja Maruja
nació en la burbuja
de blanco jabón.

La bruja Maruja
nació sin escoba,
se fue hacia la alcoba,
se puso a jugar.

Los niños dormían,
la bruja jugaba,
como era invisible
nadie la encontraba.

La bruja Maruja
era encantadora,
se quedó a vivir
en la mecedora.

Los niños reían,
los padres cantaban
y los abuelitos
saltaban, saltaban.

Y es que no era bruja,
ni bruja ni nada,
la bruja Maruja
era sólo un hada.

Enriqueta niña inquieta

ENRIQUETA
niña inquieta,
se coloca
la peineta.
             Enriqueta y su peineta.
A Enriqueta
la andaluza,
su padre que es pescador
trae merluza.
             La andaluza y la merluza.
Enriqueta
la chicuela,
es el terror de la escuela,
toca en clase castañuela.
Enriqueta tururú,
es una niña del sur.

Las tres tontas

POR el pueblo ceniza,
van las tres tontas.

La una lleva una piedra,
un jarro lleva la otra
y la tercera va a misa
lleva un rosario de moscas.

—Ponerlas la zancadilla
—los chicos les tiran cosas.

—¿Quieres ser mi novia, Elisa?
—se sonríe la más boba.

—Es mentira que me quieres
—dice la más habladora—,
no podemos ir al baile,
somos tontas.

Van cogidas de la mano
                    —a por conchas—
sobre el río van andando,
                        las tres tontas.

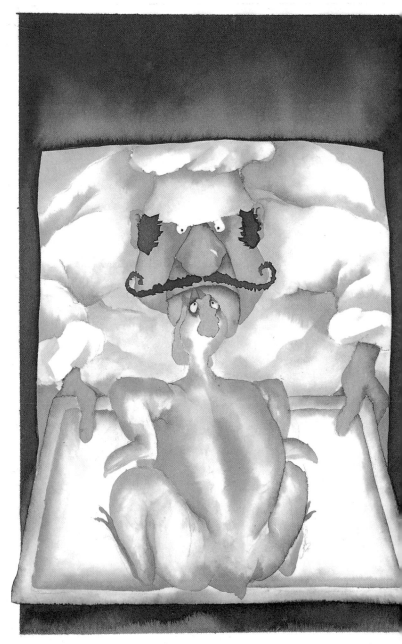

El cocinero distraído

(Chiste en verso)

EL cocinero Fernando,
pasaba el día pensando
—sin pensar en lo que hacía—
se le olvida echar la sal,
nunca pela las patatas
y le sale el guiso mal.
La paella sin arroz.

(¡Qué atroz!)

Lo peor fue el otro día...
Encerrado en la cocina,
peló viva a una gallina
y en el horno la metió...

(Pasó un rato...)

Y la gallina gritó temblando:
—Fernando, Fernando,
o enciendes el horno
o me pones las plumas.
¡Que me estoy helando!

Doña Semana

DOÑA Semana
tuvo siete hijos,
los siete varones,
ninguno fue dama.

Doña Semana
tuvo siete días,
a los siete lavó
a los siete peinó
a los siete crió
y veinticuatro horas
a los siete les dio.

EL LUNES era perezoso,
gruñía al levantarse
y hacía siempre el oso.

EL MARTES era repelente,
y si era día trece
no le quería la gente.
¡Pobre Martes y trece!

EL MIÉRCOLES era un mocetón,
feúcho y torpón
(que tenía envidia
de su hermano el Jueves).

EL JUEVES era simpático,
daba globos y cariño,
el *Jueves* sólo quería
a los niños.

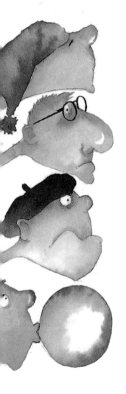

El Viernes era un despiste,
no comía ni alpiste
y siempre estaba triste.
—¿Por qué estás triste, *Viernes?*
—le pregunté yo.
—Porque soy un *Viernes.*
¿Te parece poco? —me contestó.

En cambio el Sábado
era alegre y vivaracho,
le querían los mayores,
la muchacha y el muchacho.
El *Sábado* se iba,
a los parques y jardines,
a los museos y cines.
El *Sábado* era inteligente
y hacía feliz a la gente.

El Domingo, fue el último hijo
que tuvo *doña Semana,*
como era el más pequeño,
le querían todos sus hermanos
y todos los humanos.
El *Domingo,* misa, excursión y sisa.
El *Domingo* era un día espléndido,
distinto a los otros días
(sólo un poco al *Jueves* se parecía).
El *Domingo* había nacido
para hacernos felices.
El *Domingo* en casa está papá.
El *Domingo* te invita a jugar,
a no ir al colegio, ni a trabajar,
a ir al campo a hacer vida sana.
¡El *Domingo* es el mejor hijo
de *doña Semana!*

Las cosas

L AS cosas, nuestras cosas,
les gusta que las quieran;
a mi mesa le gusta que yo apoye los codos,
a la silla le gusta que me siente en la silla,
a la puerta le gusta que la abra y la cierre.

Mi lápiz se deshace si lo cojo y escribo,
mi armario se estremece si lo abro y me asomo,
las sábanas, son sábanas cuando me echo sobre ellas
y la cama se queja cuando yo me levanto.

¿Qué será de las cosas cuando el hombre se acabe?

Como perros las cosas no existen sin el amo.

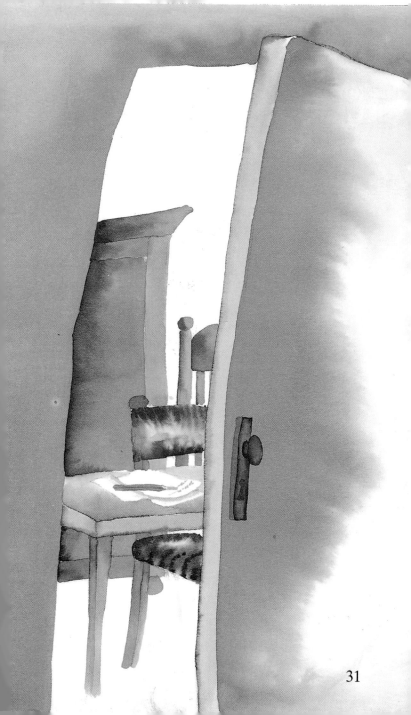

Pirulí

DE fresa, limón y menta
Pirulí.
Chupachús hoy en día
«lolipop» americano.
Pirulí.
Cucurucho de menta,
caviar en punta de mi primera hambre,
primer manjar de mi niñez sin nada,
juguete comestible
cojeando cojito por tu única pata de palillo de dientes,
verde muñeco azucarado indesnudable
—te devoraba entero
metido en tu barato guardapolvo de papel—.
Tú mi primer pecado de carne,
caperuzo imposible,
... robé para comprarte,
fantasmita pequeñito
penitente de dulce
de mi primera Semana Santa
¡Pirulí!
Triste ciprés si estabas
en la mano de otro.

Minipoemas

LA bondad de las personas
se les nota cuando pierden
(observar el colorido del vencido).

SI el demonio se enamorase,
le daría por acabar con las guerras.

EL teatro se inventó
cuando un pavo real muy pavo
su cola de pavo abrió.

PARECE que han llamado...
—Ah, ¿eres tú?
... Pasa Dolor,
toma una copa...
(Qué vamos a hacer,
por lo menos no estoy sola.)

TODO el color del mar subió a tus ojos,
toda el agua del mar bajó a mi llanto.

LA montaña no sabía,
si su manantial sería río o ría.

Palabras de poeta

Evolución

PRIMERO fue el gesto,
siglos después la palabra,
siglos después la escritura
y en este momento,
el poema.

El ciprés del cementerio

YO no soy triste,
es que estoy en un sitio
que nadie viene con tortilla.
Yo no soy triste,
es que todo el que viene aquí
parece como si le faltara algo.
Yo no soy triste
y si no que lo digan los pájaros,
a ver
¿qué tienen otros árboles que no tenga yo?
Yo no soy triste,
lo que pasa es que todos me miráis con tristeza.

Sociedad de Amigos y Protectores

SOCIEDAD de Amigos y Protectores
de Espectros, Fantasmas y Trasgos.

Muy señores suyos:
Tengo el disgusto de comunicarles
que tengo en casa y a su disposición
un fantasma pequeño
de unos dos muertos de edad,
que habla polaco y dice ser el espíritu del Gengis Kan.

Viste sábana blanca de pesca
con matrícula de Uranio
y lleva un siete en el dobladillo
que me da miedo zurcírselo
porque no se está quieto.

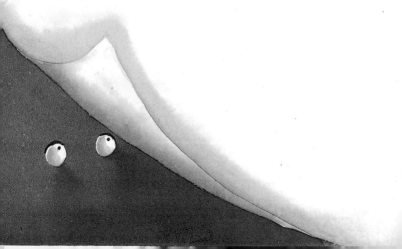

Aparece al atardecer,
o de mañana si el día está nublado
y por las noches cabalga por mis hombros
o se mete en mi cabeza a machacar nueces.
Con mi perro se lleva a matar
y a mí me está destrozando los nervios.
Dice que no se va porque no le da la gana.

Todos los días hace que se me vaya la leche,
me esconde el cepillo, la paz y las tijeras;
si alguna vez tengo la suerte
de conciliar el sueño,
ulula desgañitándose por el desván.
Ruego a ustedes manden lo que tengan que mandar,
y se lleven de mi honesto pisito
a dicho ente,
antes de que le coja cariño.

Ya ves qué tontería

Y A ves qué tontería,
me gusta escribir tu nombre,
llenar papeles con tu nombre,
llenar el aire con tu nombre;
decir a los niños tu nombre,
escribir a mi padre muerto
y contarle que te llamas así.
Me creo que siempre que lo digo me oyes.
Me creo que da buena suerte:

Voy por las calles tan contenta
y no llevo encima nada más que tu nombre.

Pienso mesa y digo silla

PIENSO mesa y digo silla,
compro pan y me lo dejo,
lo que aprendo se me olvida,
lo que pasa es que te quiero.
La trilla lo dice todo;
y el mendigo en el alero,
el pez vuela por la sala,
el toro sopla en el ruedo.
Entre Santander y Asturias
pasa un río, pasa un ciervo,
pasa un rebaño de santas,
pasa un peso.
Entre mi sangre y el llanto
hay un puente muy pequeño,
y por él no pasa nada,
lo que pasa es que te quiero.

San Francisco

VIENE el Santo delgadito
con su nube de mosquitos.
Le guardan las espaldas los mendigos
y los pájaros le abrigan del río.
Con los ojos malos viene San Francisco,
con el cuerpo enfermo y el alma hecha cisco.
Con los animales habla San Francisco
y el hermano lobo se traga el mordisco.
Lleva toda rota túnica que lleva,
yo le llevo un saco para echarle piezas.
Lleva todas rotas las manos y piernas
y medio vacía va la limosnera.
Si sube la fiebre se acuesta en la piedra.
Se va el Santo delgadito con su nube de mosquitos
le guardan las espaldas los mendigos
y los peces se ahogan por salir a despedirlo.

53

En la playa,
sola en la ola

YO en la playa desierta.
Un ocio agotador,
me deja ensimismada,
pulida, reluciente.
¿Será pecado venirme sola aquí sin gente?

El mar me gusta
y me asusta.

Me atrae,
y me tira de espaldas (la ola).

Huyo a la arena seca,
observo el ballet de las gaviotas;
cuando me quedo traspuesta,
una ola rompiendo,
—rompiendo todas las leyes físicas—
una sola ola se adelanta
llega hasta mí,
para pedirme un autógrafo.

A todo el que se dé por aludido

ESPERO que no seáis tan animales
que no podáis vivir como personas.

Haced de todo el mundo un solo mundo.

Con mucho amor y arte,
formar sólo una parte.
Y con las cinco partes que ya había,
haced un solo Estado sin tu tía.

Haced sólo una zona,
a ver si de una vez
la paz se asoma.

Y sin odio ni envidia
haced un bloque
(que el maligno misil no se desboque).

Con su piscina y todo haced un Arca,
nueva Arca de Noé
—con su monarca.

Meteros allí todos...
Y esperad a que escampe.

A Ronda (Málaga)

Ronda por mi alma ronda,
Ronda la bella y su gente.
Ronda y sus niñas morenas,
Ronda y sus mozos valientes.
Ronda me ronda. Y yo sueño,
que paseo por su puente
y que voy a despertar
amándola —a Ronda—
¡La bella durmiente!

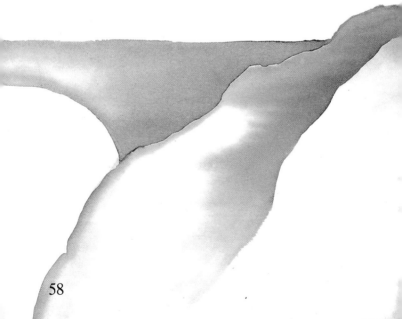

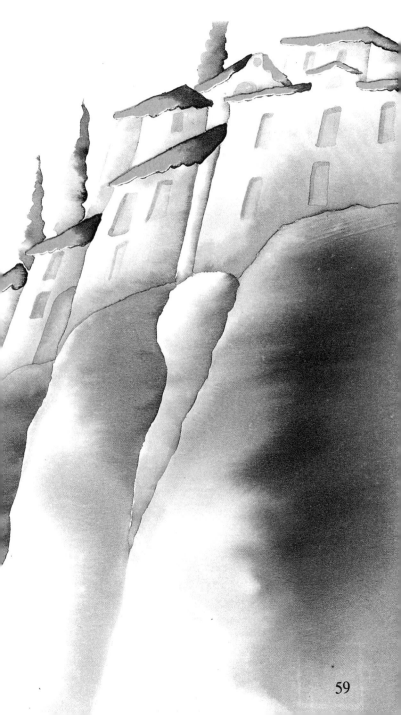

59

No es posible

No es posible regresar al ayer,
al chupete, al biberón, no.
Los raíles nos llevan al futuro.
Somos un tren.
No es posible regresar al ayer.
No es posible salir de la vía.

Sí es posible

Lo deseo, me gustaría,
hacer una obra de arte
no con la pluma (otro libro)
no con el pincel (otro cuadro)
no con el piano (otra música)
no con el acero (otra vía),
hacer una obra de arte con mi vida.

Cuando el hombre...

C UANDO el hombre descubrió la mina,
cuando el hombre descubrió la sierra,
cuando el hombre descubrió la música,
cuando el hombre descubrió la piedra,
    los ángeles bailaban.

Cuando el hombre inventó el fuego,
cuando el hombre inventó la rueda,
cuando el hombre inventó el trigo,
cuando el hombre inventó la imprenta,
    los ángeles cantaban.

Los ángeles cantaban día y noche,
    los ángeles cantaban.

Cuando el hombre inventó la guerra...
    los ángeles aullaban.

¡No está mal!

EL perro entiende.
EL cocodrilo llora.
La hiena ríe.
El loro habla.
El hombre entiende,
llora
ríe
habla
y además puede leer.
De todos los animales de la tierra
sólo el hombre puede leer
para dejar de ser animal.

¡No está mal!

66

Poema al no

NO a la tristeza.
No al dolor.
No a la pereza.

No a la usura.
No a la envidia.
No a la incultura.

No a la violencia
No a la injusticia
No a la guerra.

Sí a la paz.
Sí a la alegría.
Sí a la amistad.

Mi voz de zambomba

Mi voz de zambomba ronca
te dice lo que he gritado,
lo que he vivido te dice
te dice lo que he cantado.

Mi voz de zambomba zumba
cariñosa en tu costado,
mi verso látigo dulce
lo sé, que puede hacer daño,
—sólo es un daño poético
que evita un terrible daño—.
Ama, ama, quiere y ama,
sólo así serás el amo.

Taller
de lectura

alta//ar

Los reyes

1. El reino de las palabras

1.1. El título del poema hace referencia a reyes. En cada verso, Gloria Fuertes nos habla de un rey y también dice de dónde es el rey. ¿Cuál de estos reyes te gustaría llevar a tu casa?

....

¿A quién elegirías para que fuera tu amigo?

....

1.2. Comprueba que cada verso tiene significado por sí solo, que es un pensamiento completo. ¿Qué idea crees que es la más importante?

....

....

¿Cuál es el verso que más te gusta?

....

....

1.3. Explica qué significa *«El malo es el rey del tormento».*

....

....

Di de qué sería rey el bueno:

....

1.4. La autora escribe que *«el avión es el rey de las nubes».* Puedes cambiar algo del poema y componer otros versos.

a) La nube es la reina de las alturas.

b) El avión es el rey del cielo.

Inténtalo, cambia:

El gol es el rey del fútbol

....

1.5. *«El león es el rey de la selva»,* lo dice el poema y nosotros lo repetimos. Pero si no existiera el león, ¿qué animal te gustaría que fuese el rey de la selva?

....

Valentín tin, tin

1. Comprensión-recitado

1.1. El poema explica cómo era Valentín. Léelo despacio; sigue el consejo de la autora *(Poesía para leer entre dos)*.

1.2. Repite la lectura, pero cambia Valentín y tin por Valentán y tan.

1.3. Conviene que recuerdes qué es un número par (2, 4, 6...) y qué un número impar (1, 3, 5...). En esta poesía puedes suprimir los versos pares sin que cambie el significado. Sencillamente, la autora juega con los sonidos tin, tin. Ahora, lee sólo los versos impares.

2. Interpretación

2.1. Aquí tienes tres opiniones; indica cuál de ellas describe al protagonista, a Valentín:

— Es un alumno descuidado.

— Es un señor que estudia en la Universidad.

— Es un chico listo que tiene un delfín.

....

El ciempiés ye-yé

1. Leer para comentar

1.1. Lee el poema y descubre quién y cómo es el protagonista. Explícalo.

....

....

....

1.2. La autora expresa un sentimiento en este poema relacionado con la crueldad. ¿Cómo lo dice?

....

....

Para exagerar, la autora, al referirse al ciempiés, dice *«tanta pata y ningún brazo»* y lo califica de broma, pero ¿con qué palabras?

....

....

1.3. Gloria Fuertes presenta al ciempiés con la palabra *ye-yé*. Descubre y comenta qué significa.

....

....

Los doce meses

1. Lectura interpretativa

1.1. Descubre por qué la autora atribuye al mes de febrero *«di te quiero»* y añade entre paréntesis *«San Valentín»*. Explícalo.

....

....

....

1.2. Haz otra lectura del poema, pero cambiando el orden de los meses. Febrero, abril, junio, enero, etc.

1.3. Has comprobado que cada mes tiene dos versos, uno con el nombre del mes y otro verso que lo explica.

Elige el que para ti es más bonito: ....

....

El que tiene las palabras más raras: ....

....

El que indica los buenos deseos de la autora: ....

....

Ahora recítalos en ese orden.

2. Buscar con lupa

2.1. Escribe qué significan:

Mosto: ....

Cuarzo: ....

Rumiar: ....

2.2. La poesía consta de veintiséis versos. Busca el que tiene más enes.

Cópialo: ....

Explícalo: ....

....

....

....

....

2.3. Escribe la palabra de la poesía que rima con:

febrero: .... marzo: ....

mosto: .... año: ....

Busca otras rimas. Ejemplo: flor-amor.

Estrella: ....

Árbol: ....

Patos en diciembre

1. Observación

1.1. Tras leer el poema, indica qué letra, qué sonido es el que se repite más veces.

La vocal: ....

La consonante: ....

1.2. Cambia el animal protagonista, el pato, por otros que también son sabrosos. Así puedes hacer otras versiones del poema. Prueba con pollo, pavo, faisán, cordero. Selecciona la palabra que mejor te suena al ser recitada.

....

....

....

....

1.3. Es interesante ver cómo la autora atribuye a los animales la capacidad de hablar como si fueran hombres. Explica por qué crees que lo hace.

....

....

....

La bruja Maruja

1. Recitar

1.1. Lee y recita la poesía de la bruja Maruja. Cada vez que haya un punto, da una palmada.

2. Comprender

2.1. Gloria Fuertes presenta en verso la historia de una bruja que se llama ....

Explica cómo es la bruja ....

....

....

....

y quién resulta ser al final ....

2.2. Comenta lo que hacen los personajes del poema.

¿Quiénes duermen? ....

¿Quién juega? ....

¿Quiénes saltan? ....

¿Quiénes se ríen? ....

Lo que dice el poema tal vez no sea lo normal, pero es divertido.

Cambia el orden y escribe lo que te parezca normal.

Los niños ....

El hada ....

La bruja ....

Los abuelitos ....

3. Rimar

3.1. Busca palabras que acaban igual, es decir, que rimen con Maruja y bruja.

....

....

....

3.2. Si la bruja-hada no se llamara Maruja, podría llamarse Pitufa.

> *«La bruja Pitufa*
> *nació en la burbuja*
> *de blanco jabón.»*

Ahora inventa otros nombres para la bruja: ....

....

....

Enriqueta niña inquieta

1. Haciendo de rapsoda

1.1. Lee el poema despacito. Repite cada estrofa. Si te animas, podrías aprenderte de memoria estos versos.

1.2. En honor de Enriqueta, hazlo de otra manera. Recita el poema pronunciando *z* siempre que encuentres *s*. Así se lo oiríamos a algunos andaluces.

1.3. Y, aún más, pronuncia *s* siempre que encuentres *z*; así lo hacen otros andaluces.

2. Haciendo de escritor

2.1. Al empezar el poema la autora indica que Enriqueta es una niña inquieta y acaba diciendo que es del sur. Comenta otras cosas que también dice de ella.

....

....

....

....

2.2. Imagina que Enriqueta es del norte. Cambia el poema escribiendo lo que sería propio de una niña de aquellas tierras norteñas. Tienes que sustituir peineta, andaluza, castañuela y sur. ¿Se te ocurre? Pruébalo.

3. Investigando detalles

3.1. Haz de investigador y descubre qué le gusta a Enriqueta.

a) ....

b) ....

3.2. La poesía tiene tres partes; dos se refieren a Enriqueta y una a su padre. Explica cuáles son.

....

....

3.3. El mar y el río tienen peces. El pescador los pesca. El padre de Enriqueta es pescador y pesca merluza. Escribe el nombre de otros pescados.

....

....

3.4. La autora dice que Enriqueta es inquieta. Ser inquieta significa poseer una cualidad que se llama inquietud, y que equivale a empeño, afán, preocupación por los demás o a ser incapaz de estar quieta. ¿Cuál será el sentido aplicado a Enriqueta?

Las tres tontas

1.1. Imagina que el título de este poema ha perdido una palabra. Encuéntrala entre:

- niñas
- chicas
- jóvenes
- mozas
- señoras
- muchachas

Pon la palabra en su sitio. Ahora el título se lee:

....

....

1.2. Puedes darte cuenta de que el poema transmite sentimientos. Fíjate bien. Lee con calma la poesía, saborea las palabras como si fueran un trocito de pastel. Encuentra el sentimiento que trata de comunicarnos la autora.

¿Nos transmite desprecio? ....

¿Cariño? ....

¿Risas y carcajadas? ....

¿Ternura? ....

¿Tristeza y pena? ....

¿Indiferencia? ....

El cocinero distraído

1. Lectura expresiva

1.1. Lee la poesía y subraya los dos personajes que intervienen. Uno tiene nombre propio; el otro, nombre común:

.... y ....

1.2. Lee en voz alta la poesía y pon distintos tipos de voz según sean los personajes: una normal para el narrador, otra para la gallina, con algún cacareo.

2. Con chispa

2.1. El chiste-poema resulta gracioso según se mire. Por un lado, la gallina replica al cocinero y le expresa sus pensamientos. Por otro, si fuera verdad, sería penoso, pues, con su distracción, el cocinero mete la gallina viva y desplumada en el horno. ¿Cómo crees tú que hay que interpretarlo?

— Como una tragedia.

— Como una historieta graciosa.

— Como un poema de amor.

— Como un chiste-poesía.

3. Con humor

3.1. Recoge todos los errores que comete el cocinero según lo cuenta Gloria Fuertes.

....

....

....

....

3.2. Cambia las palabras que la gallina le dice al cocinero en los tres últimos versos y dale un final divertido.

....

....

....

....

3.3. Seguro que conoces la canción *Vamos a contar mentiras: Por el mar corren las liebres, por el monte, las sardinas...*

Inventa otras ideas disparatadas y divertidas que hagan reír.

....

....

....

Doña Semana

1. Comprensión

1.1. El poema, por su título, dice que se refiere a un plazo de tiempo que abarca siete días y que se llama semana.

La autora la llama doña Semana, como si fuera una señora. Si a la semana la llama doña, a cada hijo habrá de llamarle don.

Lee los versos teniendo en cuenta esta observación.

1.2. Entre varios compañeros podéis recitar el poema. Uno hace de narrador, y otros, de los diferentes días de la semana. Cada uno lee y recita su parte.

2. Ideas principales

2.1. Señala qué cosas dice el poema que en realidad son disparates, como que el lunes gruñía al levantarse. ¿No te parece que somos nosotros los que tenemos pereza de empezar la semana y el trabajo?

Escribe, pues, esas ideas disparatadas pero divertidas, aplicadas a cada día de la semana.

....

....

....

2.2. Unidos, el sábado y el domingo forman el fin de semana. Elige lo que más te gusta, según dicen los versos, del sábado y también del domingo.

....

....

....

....

....

2.3. El domingo, último día de la semana, es el que ocupa más versos del poema *«Doña Semana»*. Apunta qué dice la autora que podemos hacer en domingo:

....

....

....

....

....

Y lo que no hacemos en domingo.

....

....

....

....

Las cosas

1. El mensaje

1.1. El poema nos dice muchas cosas, pero tal vez haya una más importante que las demás. Descubre el pensamiento fundamental de estos versos.

....

....

....

1.2. Distingue en el poema lo que hace referencia a las cosas y lo que hace referencia a las personas.

....

....

....

....

....

1.3. ¿Has oído decir que no hay cosa más triste que un perro sin amo? Esta idea está recogida en el poema. ¿Cómo la expresa la autora?

....

Explica lo que significa.

Pirulí

1. Sugerencia

1.1. Indica qué te sugiere la palabra «pirulí».

....

1.2. Hay un edificio importante de televisión al que se llama el Pirulí. Averigua por qué.

....

1.3. En castellano hay pocas palabras que acaben en *i*; si sabes alguna, apúntala.

....

2. Contenido

2.1. Cada verso del poema hace referencia al pirulí. Habla de su sabor, de su color, de su forma. *«De fresa, limón y menta»*, dice el primer verso, indicando su color y sabor. Busca versos que señalen sabor:

....

Y otros que hablen de la forma:

....

Minipoemas

1. *«La bondad de las personas*
   se les nota cuando pierden
   (observar el colorido del vencido).»

Lee lentamente, deja que las palabras empapen tu corazón. Permite que el mensaje cale en ti. Todos sabemos ganar, pero no siempre somos capaces de perder con dignidad. Tú serás un buen ganador, pero ¿qué tal perdedor?

El poemilla identifica perdedor con vencido. La verdad es que el que sabe perder, tras luchar por ganar, demuestra que da la talla como persona, y eso es una manera elegante de encajar el golpe y no salir derrotado.

1.1. Localiza la palabra clave: ....

La puedes identificar con otros términos equivalentes o palabras sinónimas. Escribe algunas.

....

....

1.2. Comenta por qué la bondad se nota en las personas que pierden.

....

....

2. «*Si el demonio se enamorase,*
   le daría por acabar con las guerras.»

El pensamiento se inicia con un condicional: *si*. Quizá no llega ni a suposición, tal vez sólo sea un ensueño, una ficción. Pero la imaginación puede insinuarlo y las palabras expresarlo.

2.1. Elige y justifica la respuesta elegida.

El poema es:

          — una utopía,

          — una manera de hablar,

          — un imposible,

          — una esperanza.

....

....

2.2. Una antinomia es una contradicción entre dos principios. ¿Qué antítesis se presupone en el poema?

....

....

2.3. A juzgar por lo que dice la autora, ¿le da poca o mucha importancia al amor? ¿Por qué?

....

....

....

2.4. En caso de cumplirse lo que dice el texto, ¿qué consecuencias podría tener para nuestro planeta?

¿Sería bueno? ¿Sería importante?

....

....

....

....

....

2.5. Enumera los grandes bienes que son patrimonio de la humanidad, pero que no todos los seres humanos disfrutan; por ejemplo, la paz.

....

....

....

....

3. *«El teatro se inventó
cuando un pavo real muy pavo
su cola de pavo abrió.»*

Paladea cada palabra: pavo y pavo real, cola, teatro, inventó, abrió.

Ahora, levanta el telón.

La función va a comenzar.

3.1. Después de leer, releer y paladear el poema, indica cuáles son las dos palabras fundamentales que dan la pauta para entrar en su significado.

.... y ....

3.2. Recoge otra palabra que sirve para inspirar el decorado del teatro. En realidad, deberás escribir la palabra acompañada de la frase que le da el sentido completo.

....

3.3. El poema establece una rima. ¿Con qué palabras lo logra la autora?

.... y ....

3.4. Las obras de teatro son para ir a verlas en realidad, para disfrutar con la representación que nos ofrecen los actores, pero a veces, sencillamente, las leemos.

¿Qué diferencias hay entre leer una obra de teatro y verla?

Enumera todas las que se te ocurran.

....

....

3.5. Ya sea porque la has visto en el teatro o en televisión, nombra alguna obra que te haya gustado e interesado mucho.

....

....

¿Recuerdas el nombre de su autor? Si lo has olvidado, procura recordarlo para escribirlo.

....

3.6. Explica la diferencia que hay entre los actores que representan una obra en el teatro y los que ruedan una película para el cine.

....

....

3.7. Comenta cómo son las plumas de un pavo real.

....

....

4. *«... Parece que han llamado...*
—Ah, ¿eres tú?
... Pasa Dolor, toma una copa...
(Qué vamos a hacer,
por lo menos no estoy sola.)»

La autora establece un juego, un pacto entre la soledad y la compañía. Descarta la soledad aun al precio de una compañía difícil y a veces insoportable como es el dolor, pero la opción está ahí. Entre la soledad y el dolor, «... *Pasa, Dolor...*».

De todos modos, es un extraño nombre para un amigo: Dolor.

Y, si no queda más remedio, la soledad es la más dolorosa de las compañías (no compañía, sin compañía, ausencia).

4.1. Escribe el significado de dolor: ....

....

También de soledad: ....

....

Y de compañía: ....

....

4.2. Difícil opción entre dolor y soledad. Si no tuvieras más remedio, ¿qué elegirías?

....

4.3. Escribe el nombre de los dos personajes que intervienen en el poema.

Uno es silencioso: ....

El otro mantiene el monólogo: ....

4.4. El hecho de invitar a pasar a Dolor es porque a la autora se le hace insoportable ....

4.5. Trata de añadir detalles, palabras al poema, de manera que quede revestido, no transformado; por ejemplo:

Toc, toc, toc...,
... parece que han llamado...

....

... Entra, don Dolor,

....

....

4.6. Inventa una conversación, un diálogo entre don Dolor y doña Soledad.

....

....

....

....

....

....

5. *«Todo el color del mar subió a tus ojos,
toda el agua del mar bajó a mi llanto.»*

Este minipoema sugiere color, sabor, sentimiento, tristeza, admiración, amor, incluso naturaleza.

5.1. La disyuntiva está en subió-bajó. Subió todo el color del mar. ¿Adónde sube? A tus ojos. ¿Qué baja?

....

¿Adónde? ....

¿Qué sabor tiene el agua de mar? ....

Y, en consecuencia, ¿cómo es el llanto?.....................

....

Otras veces decimos que las lágrimas son amargas. ¿Esta frase tiene sentido metafórico, o es real?

....

¿Por qué? ....

....

5.2. La fuerza del poema está en: todo y toda. La intensidad sería distinta si dijera:

> Algo del color del mar subió a tus ojos,
> algo del agua del mar bajó a mi llanto.

Busca otra manera de transformar el poema.

....

....

6. *«La montaña no sabía*
si su manantial sería río o ría.»

Con pocas palabras, Gloria Fuertes nos regala su último minipoema. Es paradójico, pues tiene a la vez movimiento contagiado por el manantial que se desliza y es estático por la solemnidad y la quietud de la montaña.

6.1. En el texto queda establecido un lugar de origen, la montaña, anclada y fija. Un lamento, el de la montaña que ignora el rumbo que tomará el agua en su recorrido. La personificación de la montaña con la capacidad de saber o no saber, de ignorar.

Imagina que tú lo sabes y puedes explicárselo. Por la vertiente de la derecha será río. Un río es ....

....

Y una ría ....

....

Será ría por la vertiente izquierda.

6.2. Estos dos versos, con la rima: sabía/ría (y, además, en el interior el refuerzo de sería), forman prácticamente un pareado. ¿Sabes lo que es? Explícalo.

....

Algunos refranes tienen la forma de un pareado. Escribe alguno: ....

....

6.3. ¿Conoces las coplas de Jorge Manrique a la muerte de su padre? Un trocito dice:

Nuestras vidas son los ríos
que van a dar a la mar
que es el morir
...

Explica el sentido de río en este fragmento.

....

Llegó la hora del adiós, pero antes di cuál de los mini-poemas te ha gustado más:

....

Comenta por qué:

....

....

....

Despídete con tu propio poema; si te ayuda, inspírate en uno de Gloria Fuertes.

....

....

....

....

....

....

Palabras de poeta

Evolución

1. Lo fundamental

Al empezar este capítulo puede ser interesante recordar qué es, qué significa la poesía. Qué supone, qué sentimientos despierta.

Es mucho más que una técnica de hacer versos.

Es una categoría estética, una armonía interior, una manera de ver la naturaleza.

Un camino de expresión para el corazón.

Una fuerza que arranca del espíritu.

Bécquer dijo: «Podrá no haber poetas, pero siempre habrá poesía.»

La poesía puede manifestarse de diversas maneras, pero de cualquier modo supone siempre una sensibilidad, una capacidad de amar lo bello.

¿Has sentido alguna vez el deseo, la necesidad de escribir algo? Algo que está dentro y precisa aflorar, un sentimiento al filo del amor, del cariño, de la contemplación, de la admiración.

Todo esto es ya una evolución personal: dejar los juegos de niño para entrar en los sueños o palabras de poeta.

1.1. Una palabra puede ser equivalente a la totalidad de sus versos en un poema. Piensa una palabra que consideres que es la culminación, la plenitud y la síntesis de esta poesía: ....

¿Crees que podría resumirse así?:

Evolución = gesto, palabra, escritura, poema.

1.2. Si consideras que a esta equivalencia: *Evolución* = gesto, palabra, escritura, poema, le falta algo, añádelo.

Si le sobra, quítalo. Pero sin perder de vista el poema, claro.

....

....

2. Complementos

2.1. Entra a fondo en el significado del título: *Evolución.* Explica todo lo que te sugiere.

....

....

El ciprés del cementerio

1. Mensaje

Lee el poema y comprueba que hay una idea que se repite y que se refiere al ciprés: *«yo no soy triste»*. Además, está expresada de forma negativa. La autora, verso a verso, trata de justificarlo.

1.1. Cambia ese verso, *«yo no soy triste»*, y ponlo en forma afirmativa.

....

....

Sustituye el sentimiento tristeza por alegría.

....

....

Si el ciprés hablara podría decirnos: Yo soy alegre, soy como un árbol cualquiera; la diferencia con los demás árboles es que estoy en un lugar de dolor y llanto, en el cementerio.

Hay otros lugares de dolor y tristeza; indica algunos.

....

....

....

1.2. Reflexiona y vuelve a leer:

«Yo no soy triste,
es que todo el que viene aquí
parece como si le faltara algo.»

¿Cómo interpretas el último verso? *«Parece como si le faltara algo.»* ¿Le falta, o sólo lo parece? Coméntalo.

....

....

1.3. Con nuestras miradas tristes vestimos de tristeza al ciprés. Esta idea equivale a un verso del poema. Indica a cuál.

....

2. Comparaciones

2.1. El ciprés puede recordar un pájaro que emprende el vuelo, una pluma de ave, un cohete, una flecha que señala el cielo. Busca otras comparaciones posibles.

....

Elige la comparación que más te guste.

....

Aporta tus razones.

....

....

Sociedad de Amigos
y Protectores

1. Descubre

1.1. Lee el poema y selecciona un par de ideas fundamentales entre las que trata de transmitirnos Gloria Fuertes.

a) ....

b) ....

1.2. Elige las palabras clave de la poesía, las que sostienen el poema, las medulares, aquellas sin las cuales este poema no sería lo que es.

....

....

1.3. Busca el significado de *espectros, trasgos* y *fantasmas.* Señala qué tienen en común.

....

....

....

....

....

104

1.4. El poema presenta algunas ideas curiosas y otras muy originales. Posiblemente has oído hablar de la Sociedad Protectora de Animales y Plantas, y compruebas que el título de la poesía lo trueca, lo disloca, lo transforma. Intenta explicar en qué consiste el cambio.

....

....

1.5. La autora juega con las palabras, es su arte. Comenta qué querrá decir al hablar del *«fantasma pequeño de unos dos muertos de edad»*.

....

....

1.6. Observa la curiosa expresión *«me esconde el cepillo, la paz y las tijeras»*. La realidad es que podemos esconder un cepillo y unas tijeras, pero esconder la paz no parece posible; otro matiz sería decir «me roba, me quita la paz, me hace la guerra». Es una forma curiosa y original de expresarse, aunque en otro sentido.

Algo equivalente es decir que el fantasma *«por las noches cabalga por mis hombros»*. Es una forma de expresarse, se dice que está en sentido figurado.

Busca algún otro verso más con un texto curioso y especial.

....

....

Ya ves qué tontería

1. Leer simplemente

1.1. Lee el poema paladeando cada palabra. Al decir «*tu nombre*», repítelo cada vez.

2. Comentar

El título de la poesía produce una sensación de insignificancia y de grandeza a la vez, es contradictorio. Por otra parte, conecta con el final, con el desenlace en ese sentido paradójico de todo y nada.

Comprueba:

> «*Voy por las calles tan contenta*
> *y no llevo encima nada más que tu nombre.*»

Por eso sugiere que «*ya ves qué tontería*» no es tal tontería, porque para la autora, la suerte, la riqueza, el talismán, la magia es «*tu nombre*», ese nombre. Pero no nos dice de qué nombre se trata, aunque todos sabemos que tras el nombre está la persona que lo lleva, que, en definitiva, es lo fundamental.

2.1. Solemos identificar a la persona con su nombre; eso mismo hacemos con los animales, con las cosas. Si tú tuvieras que dar un nombre a ese «*tu nombre*», ¿cuál sería?

....

Ahora, repite la poesía añadiendo el nombre elegido junto a *«tu nombre»;* por ejemplo: «Me gusta escribir tu nombre, Carlos.»

....

2.2. La poesía es un monólogo. Las palabras de Gloria Fuertes son como un desahogo ingenuo y profundo, un juego de poeta y un suspiro hondo. Ella habla, dice, comenta sin esperar respuesta.

Señala las diferencias entre monólogo y diálogo.

....

....

....

2.3. Si tuvieras que clasificar el poema, ¿qué clase de poesía dirías que es?:

— infantil   — intimista   — personal
— lírica   — épica   — romántica

Puedes añadir más.

....

Comenta tu elección.

....

....

....

Pienso mesa y digo silla

1. Sentido y sentimiento

1.1. Un sentimiento domina el texto: el querer. Ese querer hace perder la cabeza, transforma lo blanco en negro, trastorna la voluntad, oscurece la claridad.

Apoya estas afirmaciones con algún verso del poema que lo demuestre.

....

1.2. A veces nos dicen, o decimos: «estás en otra cosa», «no atiendes», «tienes la cabeza en otra parte» o «tienes la cabeza llena de pájaros». Estas expresiones, según tu opinión, ¿encajan o no en el contenido del poema? Explícalo.

....

....

2. Parejas

2.1. Busca pares de cosas que se emparejen tan bien como las que reúne el poema: mesa y silla.

....

....

Otras: aceite y vinagre; televisión y vídeo.

....

3. Sentido y contrasentido

3.1. Hay unos contrasentidos que dan fuerza a la poesía:

— *«el pez vuela por la sala»,*
— *«pasa un rebaño de santaș».*

¿Cómo lo dirías tú para que tenga lógica?

— ....

— ....

3.2. Un puente sirve para unir. Es la solución para pasar sobre un río no transitable, la posibilidad de salvar un problema de comunicación, en sentido figurado.

Pues fíjate; al final del poema la autora escribe:

> *«Entre mi sangre y el llanto*
> *hay un puente muy pequeño...»*

¿Quién pasa por ese puente? ....

¿Y cómo lo justifica? ....

3.3. Gloria Fuertes, en los dos últimos versos, juega con distintas acepciones del verbo «pasar»; consulta el diccionario, si es preciso, para matizarlas.

a) ....

b) ....

San Francisco

1. Rasgos

1.1. La poesía tiene dieciséis versos y un protagonista que los llena de luz y de humanidad. Vuelve a leerla y clasifica en dos columnas:

a) lo que se dice de San Francisco:

b) quiénes son los que le acompañan:

....

....

....

1.2. El poema dice que San Francisco viene con el cuerpo enfermo y el alma hecha cisco. Averigua qué es el cisco.

....

....

Cambia la frase alusiva a San Francisco sin que varíe su sentido.

....

¿Qué valor tiene «cisco» en este verso?

....

....

110

1.3. La autora trata con mucho cariño al santo delgadito. ¿Sabes qué quiere decir «cantor de la naturaleza»? El santo cantaba al sol, a la luna, a las estrellas, a los animales y les llamaba «hermano, hermana» en el cántico de las criaturas. En este poema Gloria Fuertes dice que le acompaña y le lleva un saco para echarle piezas. Razona por qué tiene que remendarle.

....

....

1.4. Observa qué juego establece con el tiempo la autora, ya que San Francisco vivió hace siglos y ella es contemporánea nuestra. Dice así: *«Yo le llevo»*, en presente. ¿Cómo lo explicas?

....

....

1.5. Otro detalle es saber dónde se acuesta el santo si está enfermo, si tiene fiebre, si está cansado, rendido. ¿Lo has averiguado?

....

....

1.6. Es normal decir que una persona, en este caso el santo, lleva la túnica rota, pero ¿lo es escribir que *«lleva todas rotas las manos y piernas»*? ¿Qué quiere decir la autora?

....

....

111

En la playa, sola en la ola

Lo primero que llama la atención de una obra, de un libro, de una poesía, es el título: está al principio, con mayúsculas o con letras grandes.

Ya que es lo que destaca, analiza este título, palabra por palabra.

Se trata de una persona sola, de una mujer que está en la playa y en la ola. Ya tienes dos datos importantes: la protagonista y la escena, el lugar.

1. Observación

1.1. La poesía se presenta desde la primera palabra en primera persona: Yo.

Acaba diciendo que una ola deja el mar y se adentra en la playa para pedir a la autora un autógrafo.

Observa un par de detalles que perfilan la historia a lo largo de sus versos. Apórtalos:

a) ....

b) ....

1.2. Gloria Fuertes dice en el sexto y séptimo versos:

> «El mar me gusta
> y me asusta.»

Comenta qué significa: ....

....

Y con qué palabras juega y consigue la rima: ....

....

1.3. El poema entero tiene encanto y naturalidad a la vez, pero es especial el verso que dice:

«*observo el ballet de las gaviotas*».

Imagina con qué música bailan. Indícalo: ....

....

¿Puedes pensar en otras aves y pájaros que hacen ballet? ....

....

¿A qué equivale, en este caso, hacer ballet? ....

....

2. Práctica

2.1. Siempre que aparezcan juntos un nombre y un adjetivo en el poema, apúntalos.

Ya aparecen en el primer verso: «*playa desierta*».

Busca más:

....

....

3. Imaginación

3.1. La imaginación permite que suceda lo imposible o lo irreal, al menos en nuestros sueños. ¿En qué verso está patente esta idea?

....

....

....

....

3.2. Si te encontraras a Gloria Fuertes y te firmara un autógrafo, ¿qué te gustaría que te pusiera?

....

....

....

....

3.3. Ahora da la vuelta a lo anterior. Supón que Gloria Fuertes te pide un autógrafo a ti. Dedícaselo entrañablemente.

....

....

....

....

A todo el que se dé
por aludido

Comienza por hacer una lectura reposada de la poesía.

Deja que cada verso resuene dentro de tu mente y de tu corazón.

Si hace falta, ponte gafas verdes para descubrir la esperanza que sugiere.

1. Paradoja

1.1. Los dos primeros versos encierran una paradoja:

> *«Espero que no seáis tan animales*
> *que no podáis vivir como personas.»*

Observa ahora:

> «Espero que seáis tan personas
> que no podáis vivir como animales.»

¿Ha cambiado el significado? Coméntalo.

....

....

1.2. Resume el poema en pocas palabras.

....

....

2. Deseos

2.1. Valora el deseo de la autora expresado en el tercer verso:

> *«Haced de todo el mundo un solo mundo.»*

¿Lo compartes? ¿Lo deseas? Explícalo.

....

....

Esta idea se repite a lo largo de la poesía. Recoge algún otro verso que lo demuestre.

....

2.2. La autora concede categoría de persona a la paz, la personifica:

> *«a ver si de una vez*
> *la paz se asoma».*

Sustituye la paz por otro concepto también valioso y positivo:

> «a ver si de una vez
> asoma el gozo».

Continúa:

> «a ver si de una vez
> asoma...».

A Ronda (Málaga)

El título invita a un viaje por tierras malagueñas, ruta de pueblos blancos de sol y de sal entre la serranía: Ronda.

Pueblo delicioso con señorío y salero.

Pueblo de altura y en lo alto.

Y de Ronda en ronda, y tiro porque me toca.

Fantasía para el viaje, imaginación para la poesía.

Imaginación y sensibilidad.

1. De ronda por el lenguaje

1.1. Recuerda qué son las palabras homófonas: son las que suenan igual. Es el caso de Ronda y ronda. La palabra ronda, por otro lado, tiene diferentes acepciones:

— Ronda: pueblo malagueño.

— Ronda: tercera persona del presente del verbo rondar.

— Ronda: acción de rondar.

— Ronda: grupo de personas que andan rondando.

Si quieres conocer más, busca en el diccionario.

1.2. Gloria Fuertes piropea a la ciudad de Ronda. Recoge dos alabanzas que hacen referencia a sus gentes.

....

....

Añade tú un piropo a Ronda: ....

Y otros a un pueblo o ciudad a la que tengas cariño:

....

....

....

....

....

....

2. Expresión

2.1. Imagina que la autora te encarga que recites la poesía con salero y gracejo en una emisora de radio de Andalucía. ¿Preparado?

Cuida y vigila la pronunciación; consíguelo.

Si así es, vaya un ¡bravo! por ti.

2.2. Recita el poema con pronunciación andaluza, y muy despacio. Añade unas palmadas después de cada punto, como si fuera una tonadilla.

118

3. Por el mundo de los cuentos

3.1. El último verso te da el título de un cuento. Complétalo:

....

....

Recuerda otros cuentos que conoces.

....

....

Entre todos los protagonistas de cuentos, elige uno que te resulte simpático. Apunta su nombre y las razones por las que te interesa.

....

....

3.2. Inventa un cuento y ponle título:.........................

....

Presenta un esbozo con los datos fundamentales.

Protagonista: ....

Escenario, lugar: ....

Tiempo, época: ....

Acción, argumento: ....

Si deseas añadir algún otro detalle: ....

....

No es posible

Compara este título: «No es posible», y el título del poema siguiente: «Sí es posible». Uno niega, el otro afirma, permite, desea.

Cada uno de ellos tiene plenitud por sí mismo, pero además puede ser interesante relacionarlos.

1. Regresar al ayer

1.1. Lee el poema con sentimiento, como si lo acariciaras, y busca con lupa el verso que consideras que es esencial y resumen del contenido de la poesía.

....

Explica por qué has elegido éste y no otro.

....

....

....

....

....

....

....

....

1.2. El primer y el penúltimo verso repiten:

«*No es posible regresar al ayer.*»

¿Consideras que este pensamiento es una realidad o una fantasía?

....

....

1.3. De todos modos, recapacita. ¿Hay alguna manera de regresar al ayer?

Coméntalo: ....

....

....

1.4. La autora establece el paso del tiempo:

«*Los raíles nos llevan al futuro.*»

Lo hace mediante una figura:

«*Somos un tren.*»

La conclusión lo delimita:

«*No es posible regresar al ayer.*
No es posible salir de la vía.»

Reflexiona. ¿Crees que Gloria Fuertes ha empleado un lenguaje metafórico? ¿Por qué?

....

....

Sí es posible

El poema anterior era «No es posible», es decir, es imposible. Tal vez se pueda, de alguna manera, romper la imposibilidad.

¿Cómo? Si logramos un deseo, parece que superamos el tiempo y el espacio. Entonces nos atrevemos a decir que, al cumplirse el deseo, lo conseguido está por encima de lo imposible. Si, además, el deseo es hacer de la vida una obra de arte, ¿qué importa no poder volver al ayer?

1. Deseos

1.1. La autora desea hacer una obra de arte: no sólo obras de arte, libros, cuadros, música, sino una obra de arte con su vida.

¿Y tú? ¿Qué quieres hacer con tu vida?

....

....

....

....

....

....

1.2. Hay un dicho que reza: «Al pasar por la vida hay que plantar un árbol y escribir un libro.» ¿Has hecho alguna de estas cosas? ¿Qué árbol te gustaría plantar?

....

¿Qué libro quisieras escribir?

....

....

2. Suposición

2.1. Si hubiera un naufragio o un incendio enorme en el que sólo pudieras salvarte tú y una cosa, piensa qué salvarías. Nombra primero cinco cosas que aprecias mucho y comenta luego cuál de ellas salvarías.

....

....

....

2.2. Cita obras de arte conocidas en todo el mundo. Por ejemplo, las pirámides de Egipto, el monasterio de El Escorial en España. Continúa.

....

....

....

Cuando el hombre...

1. Variantes

1.1. Lee el poema poniendo especial cuidado en la pronunciación del adverbio «cuando». Nueve versos empiezan con esa palabra y ello le da al texto un énfasis especial. Compruébalo.

1.2. Haz otra lectura. Lee en otro orden según la pauta siguiente:

Al descubrir el hombre la mina,

al descubrir el hombre la sierra,

....

....

«los ángeles bailaban».

....

....

Sigue oralmente. ¿Aporta algo nuevo el cambio?

¿Modifica el significado? ....

....

....

....

124

2. Opción

2.1. El poema es repetitivo, reiterativo. Sólo cambian las palabras finales de verso y los versos cinco, diez y doce, que se repiten en los tres casos. Apenas hay variantes, pero una es fundamental:

«Cuando el hombre inventó la guerra...»

este verso rompe el ritmo del poema y hace que desemboque en un verso en consonancia que es el final:

«los ángeles aullaban».

¿Qué aportan al poema estos dos versos? ....

....

2.2. Entre los descubrimientos apuntados, ¿cuál es para ti el más importante? ....

¿Y entre los inventos? ....

....

2.3. Reflexiona. Ponle nombre a una persona pacífica y que rechaza la violencia.

....

....

2.4. Averigua quién es el último Premio Nobel de la Paz.

....

....

¡No está mal!

1. Comprensión

1.1. Observa el ritmo ágil de los versos. Esa agilidad le da una fuerza especial al poema. Cuenta cuántas sílabas tienen los versos más cortos.

....

1.2. En la poesía se habla del hombre y de algunos animales. Entre todos estos seres, ¿quién reúne el mayor número de cualidades y posibilidades?

....

¿Qué tiene que no tengan los otros?

....

1.3. El hombre habla y el loro también, pero ¿es lo mismo?

Coméntalo: ....

....

1.4. Entre las cosas que hace el hombre, según el poema, hay dos contrarias. Señala cuáles son.

....

....

126

Poema al no

1. Contradicción

1.1. Hay que saber decir *no* y también hay que saber decir *sí*. Lo importante es distinguir las realidades que merecen rechazo y las que merecen aprobación.

Elige tres versos y razona por qué la autora los sella con un *no*.

....

....

....

....

....

....

1.2. Apunta las grandes prohibiciones que tiene la humanidad.

....

....

....

....

....

Mi voz de zambomba

1. El valor de las palabras

1.1. Compara las palabras *zambomba* y *zumba*. Escribe lo que significan y en qué se parecen.

....

....

....

Haz lo mismo con *ama*, de amar, y *amo*, de dueño.

....

....

....

1.2. ¿Qué te sugiere el verso *«mi verso látigo dulce»*? Es una paradoja, una contradicción. Explícalo.

....

....

....

....

....

....

1.3. Comenta qué entiendes por:

«sólo es un daño poético
que evita un terrible daño».

....

....

....

2. El sentido del poema

2.1. Léelo y recítalo como si estuvieras en un concurso de rapsodas.

2.2. Vuelve a leerlo e intercala tras cada verso de la primera estrofa el primero de los versos.

Haz lo mismo con la segunda parte del poema, pero esta vez intercala:

«mi voz de zambomba zumba».

2.3. Transforma el poema de Gloria Fuertes en un telegrama y envíalo a una persona muy querida para ti.

....

....

....

....

Índice

Pág.

 Aventuras

 Ciencia Ficción

 Cuentos

 Humor

 Misterio

 Novela Histórica

 Novela Realista

 Poesía

 Teatro

Títulos publicados

Agradecemos a la Editorial CÁTEDRA que nos haya permitido re-
producir algunos poemas de su libro *Obras Incompletas* de Gloria Fuertes:

*San Francisco, Pienso mesa y digo silla, Ya ves qué tontería, So-
ciedad de Amigos y Protectores,* algunos *Minipoemas, El ciprés
del cementerio, El ciempiés ye-yé, Pirulí, Las cosas.*